D1296366

Packeis
Text, Zeichnungen und Layout: Simon Schwartz
ISBN: 978-3-939080-52-7

3. Auflage, 2015

© avant-verlag & Simon Schwartz, 2012
Herausgeber: Johann Ulrich
Korrekturen: Therese Schreiber & Maximilian Lenz

Der Autor dankt:
Lara Krude, Klaus Schikowski, Therese Schreiber und Johann Ulrich

avant-verlag | Weichselplatz 3-4 | 12045 Berlin
info@avant-verlag.de | www.avant-verlag.de

Frei nach den Biographien von
Matthew Henson, Robert Peary und Frederick Cook

Simon Schwartz

Packeis

avant-verlag

Hoch im Norden, am kältesten Punkt der Welt, lebt Tahnusuk.

Der Teufel.

Denn als der Rabe die Welt erschuf, hatte er den Teufel dorthin verbannt, damit er den Menschen keinen Schaden zufügen konnte.

Der Rabe kümmerte sich gut um die Menschen. Er zeigte ihnen, wie man jagt, Kleidung anfertigt und Häuser baut.

Und weil er so mächtig und gütig war, schenkte der große Vogel ihnen schließlich die drei heiligen Steine.

Die Steine gaben den Menschen Waffen für die Jagd und den Fischfang und deshalb hielten sie diese gut vor Tahnusuk, dem Teufel, verborgen.

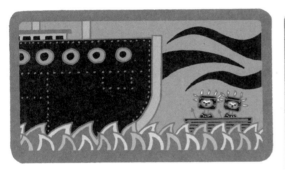

Die Menschen führten ein glückliches Leben, bis die Oopernadeet - die Besucher, welche im Frühling kommen - an ihrer Küste landeten.

Diese waren skrupellos und besessen davon, Tahnusuk zu finden.

Und unter eben jenen Oopernadeet befand sich auch Mahri Pahluk.

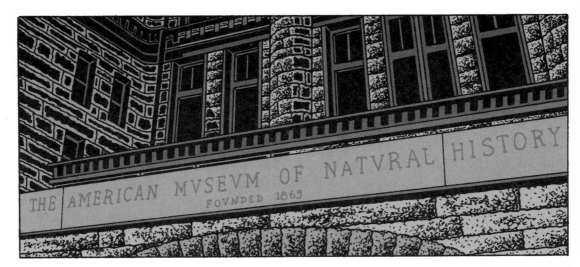

THE AMERICAN MVSEVM OF NATVRAL HISTORY
FOVNDED 1869

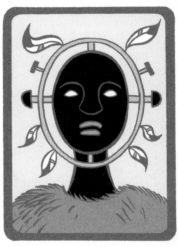

Hey, Boy! Was treibst du hier auf meinem Schiff?

Baltimore, 1879

Ich habe gefragt, was du auf meinem Schiff zu suchen hast?

Bist du taub, Boy?

Ich möchte auf der "Katie Hines" anheuern, Sir.

Du bist zu jung, Kleiner. Geh heim, deine Familie kann dich besser gebrauchen.

Ich habe keine Familie, Sir.

Mmm, hast du denn wenigstens einen Namen?

15

19

Was bringen mir all diese albernen Bücher? Das ändert nichts an dem, was ich bin - "nur ein Nigger".

Wischen Sie noch diesen Gang zu Ende und dann machen Sie Feierabend.

Ich verstehe, du bist wütend. Aber du kannst einem Mann doch Intelligenz und Respekt nicht einprügeln! Ich hatte gehofft, dass dir so etwas auf meinem Schiff nicht widerfahren würde, aber ich fürchte, Vorurteile und Hass suchen einen an jedem Ort heim.

Heute ist schließlich Ihr letzter Arbeitstag und Sie haben es sich verdient, ruhig ein paar Stunden früher in Pension zu gehen.

Du hast mich beeindruckt, als du mich um einen Platz auf meinem Schiff gebeten hast, viel zu jung und ungeeignet für die See. Aber ich erlaubte dir anzuheuern, weil ich wusste, dass du an Land immer noch viel schwärzer sein würdest als auf dem Meer.

Ich will dir keine falschen Hoffnungen machen. Dein Leben wird nie einfach sein. Aber wenn du versuchst, es mit deinen Fäusten zu bestreiten, wird es nur noch schwerer werden.

Du kämpfst gegen Hass und Ignoranz, aber mit Intelligenz und Wissen kannst du dem etwas entgegensetzen.

Aber trotz alledem musst du wissen, Matt, es gibt Dinge, die werden sich leider nie ändern.

Der weise alte Captain kümmerte sich fortan um Mahri Pahluk so sorgsam, wie der Rabe sich um die Menschen kümmert. Zusammen bereisten sie die ganze Welt und sahen seltsame und geheimnisvolle Orte und Mahri Pahluk lernte die wichtigen Dinge des Lebens.

Es war eine glückliche Zeit und sie waren wie Vater und Sohn.

Doch kein Mensch lebt ewig und so nahm die Meeresgöttin Sedna, eine Tochter des Teufels Tahnusuk, den alten Mann eines Tages zu sich und liess Mahri Pahluk allein zurück.

South America

Nicaragua, 1887

Herrgott, Henson! Passen Sie doch auf!

Sie machen das Tier schon ganz nervös mit ihrem Gewackel.

Und wehe, meine Kiste fällt Ihnen vom Pferd!

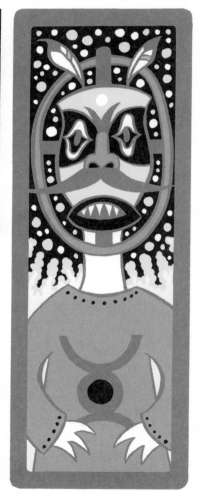

Verdammt, was habe ich gesagt?

Ahhh!!

Warum musste ich mir von allen Tagelöhnern im Hafen von New York auch ausgerechnet den unfähigsten als Diener aussuchen?

... mit deinen Fäusten wird es nur noch schwerer werden.

Es tut mir leid, Commander.

Mir auch.

Sammeln Sie meine Hemden auf und folgen Sie mir dann. Ich reite voraus zum Lager.

29

Setzen Sie sich zu uns, Matt.

Ich weiß nicht, ob ich das ...

Ach, ich bitte Sie. Wir sind hier schließlich nicht in Mississippi oder Louisiana.

Aber wie unhöflich von mir, ich habe mich noch gar nicht vorgestellt. Mein Name ist Dr. Frederick Cook. Ich bin der Kompaniearzt.

Das ist übrigens mein Assistent, Ed Barrill.

Hallo.

Zusammen haben wir den Mount McKinley bestiegen. Ich weiß nicht, ob Sie etwas davon gehört haben.

Den höchsten Berg Alaskas - die ganze Welt hat davon gehört!

Nun, hier im Dschungel bestimmt niemand. Ha ha!

Uha! Es ist Zeit, schlafen zu gehen. Morgen ist wieder ein harter Arbeitstag.

Ich muss mich hier leider von Ihnen verabschieden, Sir.

Schlafen Sie etwa nicht dort drüben in Commander Pearys Haus?

Nein. Manchmal ist Mississippi oder Louisiana leider näher, als man denkt. Gute Nacht, Sir.

Es freut mich, dass Sie mich auf diesem Ausflug begleiten, Dr. Cook.

Mich auch, Commander.

Wir müssen den nächsten Teilabschnitt bis zum Nicaraguasee planen. Der Mombacho wird uns eine gute Übersicht über das Areal verschaffen. Ihre Bergsteigerexpertise wird hierfür von Vorteil sein.

Ist der Mombacho nicht ein Vulkan?

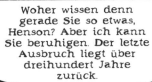

Woher wissen denn gerade Sie so etwas, Henson? Aber ich kann Sie beruhigen. Der letzte Ausbruch liegt über dreihundert Jahre zurück.

Achtung! Stromschnellen!

Verflucht! Ich hasse dieses Land! Jetzt müssen wir auf ein Rettungsteam warten.

Welchen Sinn hat es auch, hier zu sein?

Aber Commander, ich verstehe Sie nicht. Wir bauen hier vielleicht das achte Weltwunder und Sie sind sein Baumeister.

Weltwunder? Ha, dass ich nicht lache! Eine Sackgasse ist das. Nicht mehr und nicht weniger.

Denken Sie wirklich, wir werden dieses Wahnsinnsprojekt je vollenden? Die Nicaraguaner sind nicht gerade begeistert davon, dass die Staaten die Vergabe der Baurechte für den Kanal von ihnen mit Gewalt erzwungen haben. Angeblich verhandeln sie schon heimlich mit dem deutschen Kaiser.

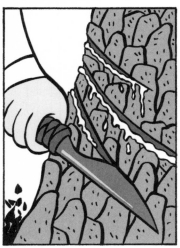

Und Washington interessiert sich mittlerweile auch viel mehr für einen Kanal in Panama. Unser Projekt war von Anfang an aussichtslos, ganz zu schweigen von den tausenden Vulkanen und sonstigen Hindernissen, die vor uns liegen.

Aber warum sind Sie dann hier?

Zur Strafe. Man hat mich zwangsversetzt, nachdem ich auf eigene Faust eine Forschungsreise nach Grönland unternommen habe. Die Navy schätzt keine Individualisten.

Glauben Sie mir, Doktor,
in den unendlichen Weiten des
Polareises kann ein Mann noch etwas
entdecken. Hier gibt es nur
Stechmücken.

Sir, das Boot ist
wieder wassertauglich.
Es wird nicht bis zum
Mombacho halten, aber
zurück ins Lager sollten
wir es schaffen.

37

Das bezweifle ich, Henson. Ihm sagt das Klima hier nicht zu.

Die Eroberung des Nordpols ist nur einer stolzen und gottesfürchtigen Nation wie der unsrigen würdig. Und wenn es mir gelungen ist, dieses Ziel zu erreichen, wird es wohl kaum einen Amerikaner geben, der sich nicht etwas besser fühlt, der nicht ein wenig stolzer darauf ist, Bürger dieser Vereinigten Staaten zu sein.

... meine geliebte Frau Josephine, die mit ihrem weiblichen Charme für einen Hauch Heimat und Geborgenheit in den eisigen Weiten der Arktis sorgen wird.

Davis Strait, 1891

Wo in etwa befinden wir uns gerade, Captain Bartlett?

Nahe dem fünfundsechzigsten Breitengrad, Dr. Cook.

Wir haben jetzt die Labradorsee verlassen und biegen ein in die Baffen Bay. Wenn wir die passiert ham', sind wir schon fast an unser'm Ziel in Grönland.

Und du, Boy, solltest dann besser aufpassen, dass du nicht erfrierst. Du gehörst schließlich nicht in dieses Klima. Ha ha!

Ich bitte Sie, Captain Bartlett, Mr. Hensons ethnologische Abstammung sagt rein gar nichts über seine Überlebensfähigkeit aus!

Is' mir egal. Ich wollt' ihn ja nur warnen.

Mrs. Peary, beruhigen Sie sich doch!

Lassen Sie's gut sein. Es ehrt Sie, dass Sie mir helfen wollen, aber meine Frau wird sich schon von selbst beruhigen.

Commander, haben Sie einen Moment Zeit für mich? Ich möchte Ihnen gern etwas zeigen.

Ja, von mir aus. Gehen wir in meine Kajüte.

Ich habe mir von meinem Salär aus Nicaragua diese Kamera gekauft.

Ich dachte mir, es wäre gut, wenn wir ein paar Fotos von unseren Entdeckungen mitbringen würden.

Oh, Sie sind wirklich der richtige Mann für dieses Unternehmen, Henson! Sie machen sich jetzt schon unentbehrlich!

Es beschämt mich, leider sagen zu müssen, dass ich Ihnen diesmal kein Gehalt zahlen kann. Alle Finanzmittel sind in das Schiff und die Ausrüstung geflossen.

Mhmm, nun ja, am Pol würde ich es wohl sowieso kaum ausgeben können.

Ha Ha Ha Ha Ha

Und was werden Sie mit Ihrem Gehalt machen, wenn wir wieder zurück sind?

Nun, viel ist es ja nicht gerade, aber ich spiele mit dem Gedanken, mir einen dieser modernen Telefonapparate zuzulegen.

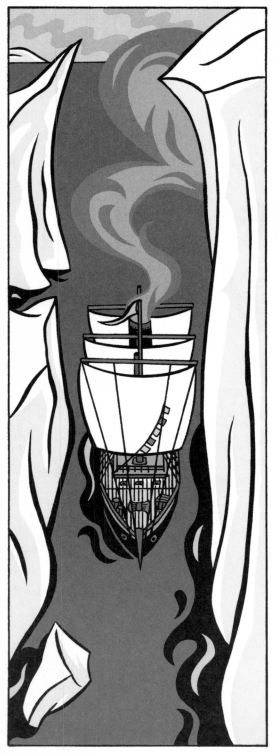

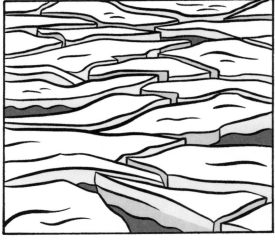

Wir haben Etah erreicht - die nördlichste Siedlung der Welt.

Machen Sie sich keine Sorgen. Die Wilden kennen mich bereits.

Commander Peary, welche Freude Sie wiederzusehen.

Die Freude ist ganz auf meiner Seite, Qisuk.

Meine Herren, das ist Qisuk. Er ist vor ein paar Jahren mit einem kanadischen Team nach Labrador gereist und hat so unsere Sprache erlernt.

Seien Sie herzlichst willkommen. Wir möchten Sie als unsere Gäste begrüßen.

Mahrt Pahluk!

Mahri Pahluk!

Das ist mein Sohn Minik.

Mein Gott, du sprichst ja auch unsere Sprache! Ich bin beeindruckt.

Hallo.

Was macht der alte Mann da, Doktor?

Keine Ahnung. Möglicherweise eine rituelle Begrüßung. Vielleicht ist er aber auch einfach nur wirr. Er scheint schließlich Methusalem Konkurrenz machen zu wollen.

Genug geredet, meine Herren! Begeben wir uns zurück zum Schiff und bringen unsere Baumaterialien an Land!

Hey Matt, kommen Sie doch bitte vom **Dach** und holen Sie ihre Kamera.

Machen Sie noch ein Abschiedsfoto von mir, Qisuk und dem kleinen Minik, bevor ich mit dem Commander und Captain Bartlett zum Pol aufbreche.

Ich beneide Sie, Doktor. Ich würde Sie gern begleiten

Glauben Sie mir, Matt, ich wünschte, Peary hätte Sie und nicht Bartlett als dritten Mann ausgewählt. Und das sage ich nicht nur, weil Sie mehr Ahnung von der Reparatur dieser Hundeschlitten haben.

Ach, das ist nicht so schwer. Ich bin halt Zimmermann.

Unsinn, es ist wirklich unglaublich, wie schnell Sie gelernt haben, diese Dinger zu bauen und zu steuern. Und Sie haben fast unsere komplette Hütte gebaut. Darauf können Sie wirklich stolz sein.

Meine Herrn, wissen Sie wo mein Mann ist?

Nein, Ma'am, ich warte auch nur noch auf ihn, um endlich aufbrechen zu können, aber ich glaube, den Commander vorhin bei den Zelten der Eingeborenen gesehen zu haben.

Mach' dir keine Sorgen. Es gibt keinen Teufel oder Dämon, der dort auf mich wartet. Der Nordpol ist ein Ort wie jeder andere.

Vertraue mir, diesen Tahnusuk und all deinen anderen Aberglauben gibt es nicht.

Jetzt muss ich aber los. Wir müssen das gute Wetter für den Start nutzen.

Ah, da sind Sie ja, Commander. Wir sind soweit. Brechen wir auf?

Ja, meine Herren, es geht los!

Seltsam, ich hatte erwartet, dass sich meine Frau noch von mir verabschieden würde.

Sollen wir warten?

Nein, dieses Unternehmen duldet keinen Aufschub! Ich sehe Sie schon früh genug wieder.

Mr. Barrill und Mr. Henson, Sie halten hier die Stellung. Wenn alles gut geht, sind wir in wenigen Wochen erfolgreich zurück.

Huk! Huk!

?

Mrs. Peary, ist alles in Ordnung?

Nein, Matt. Gar nichts ist in Ordnung.

Wie konnte er nur - mit einer Wilden!

Dabei habe ich mich für ihn aufgeopfert.

Meine Familie hat ihn finanziert und ich bin ihm in diese gottlose Gegend gefolgt.

Mahri Pahluk!

Alles aus Liebe und wofür?

Und dabei sind die Frauen dieser Heiden so unsagbar hässlich. Das ist doch nicht normal!

Ich verstehe Sie sehr gut, Josephine.

Oh, Mr. Barrill, Sie sind es! Ich dachte, ich hätte mit Matt Henson gesprochen.

Lassen Sie mich Ihnen etwas Trost spenden.

Oh mein Gott, was war das?

Enttäuscht kehrten die Oopernadeet von ihrer Expedition zurück. Sie hatten ihr Ziel nicht erreicht und waren gezwungen, umzukehren. Mahri Pahluk versuchte ihnen von seinem Erlebnis zu berichten, doch sie hörten ihm nicht zu und auf ihrer Heimfahrt rammte Tahnusuk, der Teufel, den ersten Keil in ihre Gruppe.

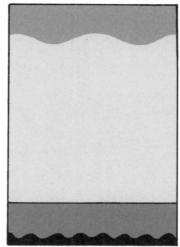

Meine Damen und Herren, in wenigen Minuten erreichen wir Dawson, Georgia.

Pack' die alte Büchse weg, Süße. Dafür darfst du auch mal mit meinem Gewehr spielen.

He he.

Scheiße, die is' ja verrückt! Los, weg! Das wirst du uns büßen!

Jesus! Kind, was machst du da? Bist du völlig von Sinnen?

Los, leg das Gewehr beiseite und hilf mir lieber ihn reinzubringen, bevor die zurückkommen.

New York, 1893

Noch immer gibt es Zweifler, die glauben, bei der Arktis handele es sich um Shakespeares "unentdecktes Land, von des Bezirk kein Wanderer wiederkehrt", aber ich sage, sie irren sich.

Es ist ein reiches Land, das Dach der Welt, ein schwimmender Palast aus ewigem Eis.

Charles Francis Hall träumte vom Nordpol, Adolf Erik Nordenskiöld kämpfte um ihn, Karl Weyprecht zeigte einen Weg auf, aber ich werde es sein, der die Arktis bezwingen und ihr Geheimnis lüften wird, denn "Zweifel sind Verräter, sie rauben uns, was wir gewinnen können, wenn wir nur einen Versuch wagen".

Das war ein brillanter Vortrag, Commander. Als Direktor des New Yorker Naturkundemuseums möchte ich Sie mit diesem Scheck unterstützen, denn ich bin mir sicher, dass Sie uns ein paar einzigartige Exponate mitbringen werden.

Commander, haben Sie einen kurzen Moment Zeit?

Darf ich Ihnen meinen guten Freund Harry Whitney vorstellen?

Es ist mir eine Ehre. Es ist ein großer Traum von mir, einmal in Grönland auf Jagd zu gehen.

Doch nicht etwa der Millionär Harry Whitney?

Genau der.

Ich würde Ihnen gern helfen. Reichen 10.000 Dollar?

Ha, das war ein erfolgreicher Abend!

Tonight Robert E. Peary

Die nächste Expedition ist gesichert. Das muss gefeiert werden!

Kutscher, bringen Sie uns zum Offizierskasino im Brooklyn Navy Yard!

Wer ist das?

Die Hochzeit war in Georgia, aber wir leben in New York.

Ha, erfreuen Sie sich an der Ehe so lange Sie können, Henson. So etwas hält nie ewig. Die Frauen sind sprunghaft, so wie meine Josephine.

Woran ihr Freund Ed Barrill übrigens sehr wohl mitschuldig ist. Zum Glück habe ich ihn aus dem Team geschmissen - diese miese Kröte! Oder sollte ich besser sagen, "Ihr Partner", Dr. Cook?

Ich weiß nicht, wovon Sie reden!

Aber Sie ham' ja doch noch immer Ihre kleine Eingeborene, Commander. He he.

Machen Sie sich nicht lächerlich, Captain Bartlett!

Ich denke, wir sollten uns auf den Rückweg nach Etah machen. Dieses Iglu ist sehr eng.

73

Ahhh!

Helfen Sie mir!
Ich habe mir meinen
Knöchel verstaucht!

Commander?

Commander, können Sie mich hören?

Sie haben mich gerettet, Doktor.

Ha ha! Nein, mir verdanken Sie nur den Verband. Matt war es, der Sie gehört, ausgegraben und fast den ganzen Weg bis hierher nach Etah getragen hat.

Oh, wie kann ich Ihnen nur danken, Henson? Es war eine Schande von mir zu glauben, Sie seien gerade gut genug, meine Hemden zu waschen. Ohne Sie wäre ich jetzt tot.

Aber was ist mein jämmerliches Leben schon wert? Mir wird es nie vergönnt sein, den Pol zu erreichen.

Wieso das? Wir probieren es einfach noch einmal.

Und mit welchem Geld? Ich bezweifle, dass sich noch eimal genug Finanziers für eine Expedition finden werden. Ich kann nicht schon wieder mit leeren Händen heimkommen.

Warten Sie! Henson, haben Sie nicht von diesen geheimnisvollen Steinen erzählt, die Sie gesehen haben?

Ja, aber …

Bringen Sie mich dorthin!

Äh … ich kenne den Weg nicht.

Wer kennt ihn dann?

Das kann ich nicht sagen … ich … ich weiß es wirklich nicht.

Sie lügen, Henson!

Wenn Sie mir nicht verraten, wer mich zu diesen Steinen führen kann, suche ich mir einen neuen Diener für meine nächste Expedition und dann unterscheidet Sie rein gar nichts mehr von ihren Brüdern und Schwestern in den Baumwollfeldern von Alabama.

Und während die Ooopernadeet die
drei heiligen Steine verschleppten,
verstiess der Rabe den alten
Schamanen für seinen Verrat und
übergab ihn Tahnusuk, dem Teufel.

Ha, gerade Sie als Mann der Wissenschaft sollten sich solche religiösen Sentimentalitäten sparen, Doktor.

Commander, Sie sollten sich schämen! Diese Steine scheinen den Eingeborenen heilig zu sein.

Oopernadeet Peary, wir sind erschöpft. Gönnen Sie uns bitte eine Pause.

Nun gut, Qisuk. Ich gebe Ihnen eine Stunde, aber dieser Meteorit muss noch heute verladen werden!

Trockne deine Tränen, Minik. Der Rabe wird uns auch in dieser dunklen Zeit schützen. Habe Vertrauen.

Ja, Vater.

Das kann nicht Ihr Ernst sein! Das ist Menschenhandel!

Die Wilden werden eine Bereicherung für das New Yorker Naturkundemuseum sein.

Aber wenn Sie Angst vor dem wissenschftlichen Fortschritt haben, Dr. Cook, bin ich nicht mehr auf Sie angewiesen!

Das werden Sie bereuen, Peary! Das werden Sie noch bitter bereuen!

?

Für'n Seemann ham'se aber'n schwachen Magen. Ha ha!

New York, 1898

Was haben Sie mir da eigentlich für kränkliche Exemplare verkauft, Commander?

Was kann ich dafür, wenn schon wieder einer der Wilden gestorben ist? Die vertragen halt das Klima nicht.

Das ist keine zufriedenstellende Erklärung. Ihr Dr. Cook hatte die Eskimos doch untersucht.

Dr. Cook und ich sind geschiedene Leute.

Bitte hör auf zu weinen, Minik. Dein Vater Qisuk ist jetzt in Gottes Obhut.

Fährst du wieder zurück in meine Heimat?

Ja.

Dann nimm mich bitte wieder mit zurück, bitte!!

Ah, da bist du ja. Wo warst du denn den ganzen Tag?

Ich bin heute gar nicht recht zur Hausarbeit gekommen. Meine Freundin Mavis hat mir diesen neuen spannenden Roman geliehen ...

... da geht es um einen jungen Mann, der von England nach Transsylvanien reist, weil dort so ein Graf ein Haus in London kaufen will, aber der Graf ist ein Vampir ...

... und Gott, das Buch ist ja so schockierend ... an der Stelle, wo ich jetzt gerade bin, trinkt der Graf das Blut einer schönen Frau ...

... ach, und das Gruseligste ist, dass sie - wie ich - Lucy heißt und wie der Graf in einem Sarg schläft und ...

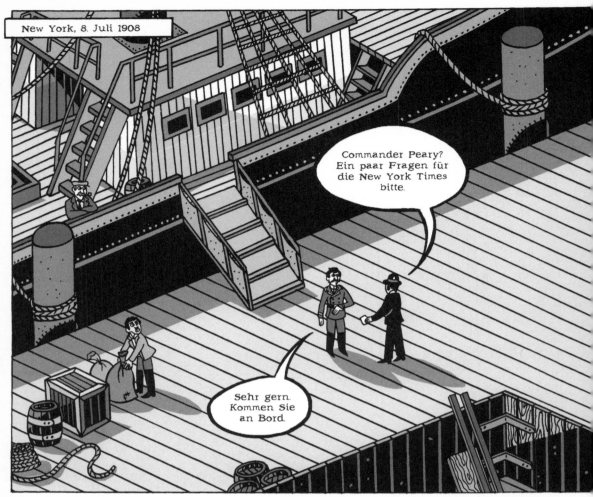

New York, 8. Juli 1908

Commander Peary? Ein paar Fragen für die New York Times bitte.

Sehr gern. Kommen Sie an Bord.

Die Eroberung des Nordpols ist ja mittlerweile eine nationale Aufgabe, wenn man bedenkt, wie viele andere Länder sich ebenfalls darum bemühen.

Sie versuchen es seit fast drei Jahrzehnten und sind jetzt zweiundfünfzig Jahre alt. Ferner ist die Anzahl ihrer Mitstreiter stark gesunken.

Sind Sie wirklich davon überzeugt, dass es Ihnen diesmal gelingen wird?

Als Mahri Pahluk und die anderen Oopernadeet zurückkehrten, lebten die Menschen in Furcht vor ihnen.

Der Atem Tahnusuks haftete ihnen an.

Nur jene Menschen, die den Glauben an sich selbst längst aufgegeben hatten, schlossen sich den Oopernadeet bei deren erneuten Suche an.

Der Oopernadeet, den sie Peary nannten, hatte einen neuen Plan entwickelt. Auf dem Weg durch das Eis schickte er nach und nach Männer zurück. Er nutzte so erst ihre Kräfte und sparte später ihr Gewicht.

Doch Tahnusuk, der Teufel, beeinflusste Pearys Wahl und so fand manch wackerer Mann nicht mehr den Rückweg.

Schließlich waren nur noch Peary, Mahri Pahluk, der Oopernadeet Bartlett und sechs Menschen übrig.

1. April 1909

Captain Bartlett, Sie sind es, der morgen mit zwei Eingeborenen umkehrt.

Was? Das kann nicht Ihr Ernst sein?

Ich habe meine Entscheidung getroffen.

Wollen Sie etwa Henson mitnehmen? Der hat doch keine Ahnung von Navigation!

Mr. Henson ist ein weit besserer Schlittenführer als Sie es sind. Ich bin auf ihn angewiesen.

Schwachsinn! Sie fürchten mich als Konkurrenten!

Mässigen Sie sich, Mr. Bartlett!

Geben Sie es zu, Peary! Sie haben Angst vor mir! Niemand wird Henson als Co-Entdecker ansehen, aber es wird ihn auch niemand als Zeugen ernst nehmen!

Captain, Sie kehren morgen früh zum Schiff zurück. Das ist ein Befehl!

So. Jetzt wo Captain Bartlett uns verlassen hat, wollen wir die letzte Etappe unserer Reise antreten, Matt.

Laut meinen Messungen sind wir nicht weiter als 35 Meilen von unserem Ziel entfernt.

Sie werden mit zwei Wilden vorwegfahren und eine Fahrrinne anlegen. Ich folge Ihnen dann.

Zu Befehl, Sir.

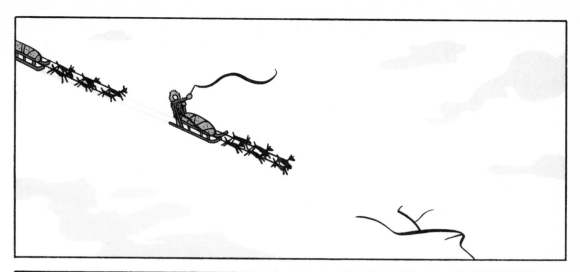

KRACKS!

103

Da kommt der Oopernadeet Peary!

Weshalb haben Sie gestoppt, Henson?

Ich fühle, dass wir an unser Ziel gelangt sind, Commander.

Was erzählen Sie da? Ich kann Sie nicht verstehen! Glauben Sie etwa, wir wären schon da? Lassen Sie sich nicht von Ihren albernen Gefühlen leiten. Das ist töricht und trügerisch. Nur eindeutige Fakten sprechen die Wahrheit.

Dann messen Sie es mit Ihren Geräten nach. Ich bin mir sicher.

Nein, Sie haben Recht, Henson. Wir sind angekommen!

Reichen Sie mir
Ihre Kamera, Henson.
Und geben Sie dann den
Wilden die Fahnen.

Bereit?

6. April 1909

Wollen Sie es nicht nachmessen und in Ihrem Tagebuch vermerken?

Wozu? Was würde das noch ändern?

Arrgh...

Commander?!

Lass uns gehen, Mahrt Pahluk.

Tahnusuk lebt hier. Er kann jeden Moment erscheinen!

Wir müssen erst den Commander auf einen der Schlitten binden. Los, helft mir!

Nein! Er gehört jetzt Tahnusuk. Seine Seele ist verloren.

Du bist es, der den Teufel bezwungen hat.

Lass ihn hier sterben!

Nein, niemals! Der Commander ist mein Freund. Ich lasse ihn nicht sterben!

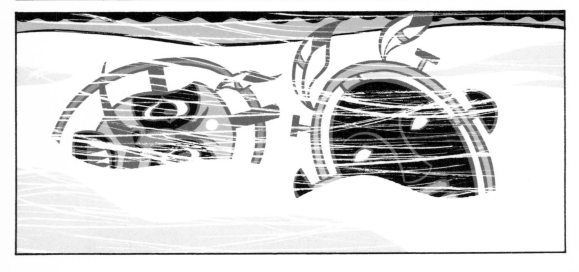

Etah, 26. April 1909

Mr. Withney, was für eine Überraschung!

Commander Peary!

Was verschlägt Sie hierher nach Grönland?

Oh, ich bin auf der Jagd nach Robben, wenn auch leider etwas glücklos. Ich bin eher das Rotwild Neuenglands gewohnt.

Und nun warte ich auf ein Schiff, das mich heim zu besagtem Rotwild bringt. Ha ha.

Vielleicht kann ich Ihnen helfen. Kommen Sie erstmal an Bord. Ich habe etwas zu feiern!

Und Sie haben es also nach all den Jahren tatsächlich zum Nordpol geschafft? Unglaublich! Zumal hier in Etah vor kurzem auch etwas Außergewöhnliches geschehen ist.

Was soll hier schon groß geschehen?

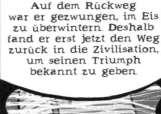

Nun, vor über einer Woche traf hier ihr ehemaliger Mitstreiter Dr. Cook mit zwei Wilden ein - völlig ausgehungert. Er behauptete, er habe vor gut einem Jahr den Nordpol erreicht.

Auf dem Rückweg war er gezwungen, im Eis zu überwintern. Deshalb fand er erst jetzt den Weg zurück in die Zivilisation, um seinen Triumph bekannt zu geben.

Mir überließ er eine Kiste mit seinen Instrumenten und Tagebüchern. Sie haben ihn nur knapp verpasst, Commander.

Mr. Henson!

Nehmen Sie diese Kiste an sich und entsorgen Sie sie im Meer!

Was? Sind Sie verrückt? Nur weil Cook den Pol vor Ihnen entdeckt hat? Das werde ich nicht zulassen! Die Kiste bleibt bei mir!

Sie brauchen doch noch jemanden, der Sie zurück zu Ihrem geliebten Rotwild bringt, richtig?

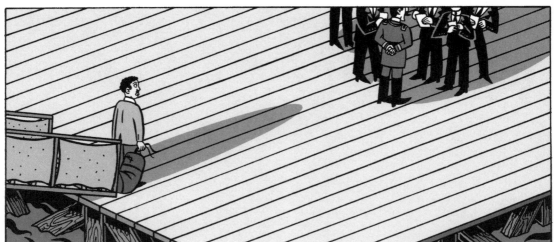

Matt!

Picayune.

LA., TUESDAY, SEPTEMBER 7, 1909.

NO

ANOTHER AMERICAN EXPLORER REACHED THE NORTH PO...

Commander Robert E. Peary Reports That His Expedition Was Crowned With Success.

The Explorer Cables That He "Nailed the Stars and Stripes the North Pole" April 6, 1909—The Message Flashed From Indian Harbor, Labrador.

PEARY CABLES HIS WIFE OF HIS...

South Harpswell, Me., Sept. 6.—Commander... nounced his success in discovering the N... summering here at Eagle Island...

"Indian Harbor, via C...

"Mrs. R. E. P...

"Have ma...

Will...

LOS ANGELES

Two Parts Complete—28 Pages.

The ... Los Angeles ...

SEPTEMBER 10, 1909.

Twenty-Eighth Year.

Per Month, 75 Cents.
or 2½ Cents a Copy.

ER ANNUM $9.00 {

THE WEATHER
BRIEF REPORT.

FORECAST—For Los Angeles and vicinity: Fair; overcast in morning; light north wind. For San Francisco and vicinity: Fair; light west winds, increasing.

Sunrise, 5:33; sunset, 6:07; moon rises 2:35 a.m. Saturday.

YESTERDAY—Maximum temperature, 77 deg.; minimum, 56 deg.; Wind, 5 a.m. northwest; velocity 7 miles; 5 p.m. southwest; velocity 7 miles. At midnight the temperature was 59 deg.; clear.

TODAY—At 2 a.m. the temperature was 57 deg.; clear.

[The complete weather report, including comparative temperatures, will be found on page 12, Part II.]

The ... Times

31 Col.
132 Cols.

Today

THRILLING ACCOUNT

ICE AND VIOLENT WINDS GIVE PEARY HARD FIGHT

Noted Explorer Tells of Desperate Struggl... Start of Polar Expedition.

Remarkable Narrative of Trip to North Pole by A... Naval Officer, Greatest Arctic Traveler of the W... ... ... Thrilling Tale of Discovery.

COOK'S PLAN... THRILL...

Offer to Send Back for E... Stirs Interest of Partisans.

[BY DIRECT WIRE TO THE TI...
COPENHAGEN. Sept ...
[Exclusive Dispatch.] Cope...
hagen interest in the Coo...
Peary pole controversy grew i...
tense today, when it became
known that Dr Cook announced
he would charter a steamer at
his own expense and send it to
Greenland for the Eskimos who
accompanied him on his polar
dash, and have them corrobo-
rate his story. The steamer
probably will be under com-
mand of Capt. Sverdrup, the
Norwegian Arctic explorer. It
is said that J. Pierpont Mor-
gan telegraphed to Dr Cook
offering him any sum he might
n ed, but the explorer says he
will pay for the expedition
h ...self.

Hi D... sh interpreter in
North Gr...land says that
Commander Peary's allegations
seem absurd to those who know
the fact. According to this au-
thority Dr Cook w... not w...
but in escape also t... ...
which was impossible in any
event, but in pursuance of a
plan based on Peary's own ex-
perience with the easterly drift
of ice in the polar sea north of
Greenland.

117

Nun gut, is' nich' so schwer. Du schleppst jetzt erstmal diese Kisten in die Nachbarhalle.

Kriegst zehn Cent pro Tag. In 'ner Stunde bin ich wieder da. Alles klar, Boy?

Ich zweifle Dr. Cooks angebliche Entdeckung des Nordpols heftig an. Seine Behauptungen sind eine bodenlose Unverschämtheit! Hätte er es tatsächlich gewagt, zum Pol zu wandern, wäre er bei der von ihm angegebenen Ausrüstung verhungert. Ferner ist er der Welt immer noch eine Veröffentlichung seiner Tagebücher schuldig.

Er ist mir seit Jahren als eine zwielichtige und skrupellose Person bekannt und ich misstraue nicht nur seinem Ammenmärchen vom Pol, sondern auch seiner angeblichen Besteigung des Mount McKinley.

Ja, Sir.

Es betrübt mich, solche Anschuldigungen von einem Mitglied der Navy zu hören. Selbstverständlich habe ich zusammen mit meinem Partner Ed Barrill den Gipfel des Mount McKinley erklommen. Die Faktenlage ist eindeutig.

Was meine Tagebücher angeht, so wurden diese auf persönliche Veranlassung von Commander Peary vernichtet, nachdem ich sie meinem Freund Harry Whitney übergeben hatte.

Ein Zivilist wie Dr. Cook sollte sich schämen, so über einen Angehörigen der US-Marine zu reden! Mein Diener Matthew Henson, der die Sprache der Wilden fließend spricht, hat Dr. Cooks eingeborene Begleiter in meinem Auftrag befragt.

Sie gaben an, dass sie die ganze Zeit über Land gesehen haben. Ehrlich gesagt, ich glaube nicht, dass die Gruppe Grönland jemals verlassen hat.

Ich halte einen Mann für sehr unglaubwürdig, der kurz vor dem Ziel eine Kraft wie Captain Bartlett heimschickt, am Tag seines sogenannten Triumphes keine Notiz in sein Tagebuch schreibt und zusätzlich auf das lächerliche Geschwätz eines Niggers hört.

Verzeihung? Sind Sie Matthew Henson?

Ich möchte Ihnen ein Angebot machen. Meiner Meinung nach ist dieser Cook ein eingebildeter Schwindler.

Sie sollten eine Vortragsreise durch unser Land machen, um den Leuten die Wahrheit zu erzählen.

Bei siebzig Prozent Beteiligung würde ich das für Sie organisieren.

Was sagen Sie?

Schwachsinn!
Du warst verdammt noch mal
fast eine Stunde vor Peary am Ziel.
Du warst der erste Mensch am
Nordpol und deine Hautfarbe sollte
dich deshalb erst recht
stolz machen!

Was erwartest
du von mir?

Ich erwarte,
dass du für dein
Recht kämpfst,
Matthew Henson!

Hör zu. Morgen ... morgen werde
ich zu Peary fahren und ihm
die Fotos geben, die ich am Pol
gemacht habe. Damit wird er den
Zweiflern an unserem Erfolg den
Wind aus den Segeln nehmen.

Und bei der Gelegen-
heit werde ich ihn
auch um etwas Geld
bitten. Einverstanden?

Was kann ich für Sie tun?

Mein Name ist Matthew Henson. Ich möchte gern Commander Peary sprechen.

Haben Sie einen Termin?

Nein, ich habe ihm mehrfach geschrieben, aber er hat nie geantwortet.

Dann kann ich Ihnen leider nicht helfen. Der Commander ist sehr beschäftigt.

Mrs. Peary!

Matt, was machen Sie denn hier?

Ich wollte den Commander besuchen und ihm die Fotos bringen, die ich am Pol gemacht habe.

Oh, das ist sehr gut! Geben Sie sie ruhig mir. Ich werde sie ihm später bringen. Im Moment ist er sehr beschäftigt.

Ich würde sie ihm lieber selbst überreichen.

Mmm, nun gut.

Aber seien Sie still. Er ist gerade in einer sehr wichtigen Besprechung.

Wir sind uns also einig, Mr. Barrill?

Selbstverständlich, Commander.

Gut! Hier ist der Scheck über 5000 Dollar.

Ich erwarte von Ihnen, dass Sie spätestens kommende Woche Ihre Erklärung gegenüber der Presse abgeben.

Matt?

Worauf warten Sie noch, Henson? Gehen Sie!

Es ist nur … meine Frau und ich … wir sind nicht sehr wohlhabend und mein Gesundheitszustand ist auch nicht der beste, deshalb wollte ich Sie demütig fragen, ob … ob Sie uns etwas Geld leihen könnten.

Wer ist dieser Mann, Josephine?

Aber trotz alledem musst du wissen, Matt, es gibt Dinge, die werden sich leider nie ändern.

Mahri Pahluk war der grösste und helden-hafteste Mensch, der je gelebt hatte und den Göttern gleich, ...

... doch Tahnusuk, der Teufel, verhöhnte Mahri Pahluk.

Das darf doch nicht wahr sein! Das ist jetzt schon der dritte Vortrag in Folge, den er verhindern lässt.

Mein Mann hat sich nichts zu Schulden kommen lassen!

Die Polizei sagt, dass die Fotos aus dem Vortrag Mr. Peary gehören.

Das ist eine Ungeheuerlichkeit! Mein Mann hat diese Fotos mit seiner eigenen Kamera gemacht und auch die Filme selbst bezahlt!

Beruhigen Sie sich bitte, Mrs. Henson.

Seit Cooks Assistent Ed Barrill eine eidesstattliche Erklärung abgegeben hat, dass er und Cook den Gipfel des Mount McKinley nie bestiegen haben, zweifelt die Welt auch Cooks Triumph am Pol an.

Commander Peary gilt damit als der Entdecker des Nordpols und Ihr Mann hat sein Ziel ja somit erreicht.

Den Gang runter hab' ich einen Waschraum gesehen.

Es sieht nicht gut aus. Ich fürchte, wir können tatsächlich nichts machen.

Wo ist Ihr Gatte?

Entschuldigen Sie die Störung, Mr. Henson.

Ja?

Dürfte ich Sie bitten, den Herrenwaschraum im Keller zu benutzen?

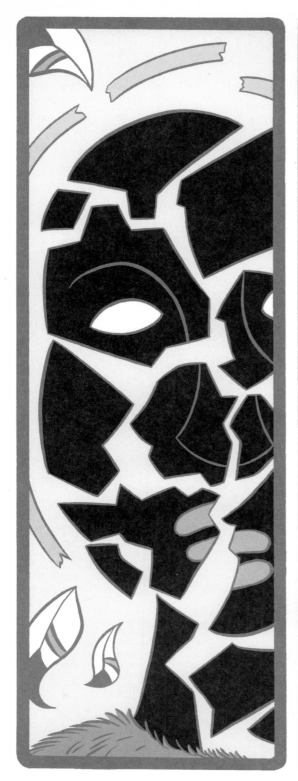

UNITED STATES
NAVY YARD, NEW YORK

BROOKLYN, NEW YORK

ME

S75
NE

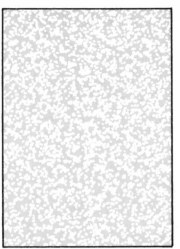

Etah, 1962

Lasst mich das auch sehen!

Nein, das ist nichts für Mädchen.

So ein Quatsch! Superman ist auch was für Mädchen!

Ha.

Guckt mal, wie er da durch die Luft fliegt, das ist so toll!

Und da, wie er den Kometen stoppt.

Wahnsinn! Superman ist echt der Allergrösste. Er ist wie ein Gott.

Was redet ihr da für dummes Zeug?!

Und lest nicht solchen Unsinn! Es gibt nur einen Mann, der den Göttern gleich ist!

Wen meinst du, Onkel Minik?

Setzt euch und hört gut zu, was euch euer Onkel Minik zu erzählen hat. Ihr müsst nämlich Folgendes wissen.

Hoch im Norden, am kältesten Punkt der Welt, lebt Tahnusuk. Der Teufel.

Denn als der Rabe die Welt erschuf, hatte er den Teufel dorthin verbannt, damit er den Menschen keinen Schaden zufügen konnte. Der Rabe kümmerte sich gut um die Menschen. Er zeigte ihnen, wie man jagt, Kleidung anfertigt und Häuser baut.

Und weil er so mächtig und gütig war, schenkte der große Vogel ihnen schließlich die drei heiligen Steine. Die Steine gaben den Menschen Waffen für die Jagd und den Fischfang ...

... und deshalb hielten sie diese gut vor Tahnusuk, dem Teufel, verborgen. Die Menschen führten ein glückliches Leben, bis die Oopernadeet – die Besucher, welche im Frühling kommen – an ihrer Küste landeten. Diese waren skrupellos und besessen davon, Tahnusuk zu finden.

Ende.

Skizzen 2010-2012

Captain childs

Nicaragua 1880

Henson   Peary

Robert Peary
1909

Simon Schwartz

PACKEIS
A

edrick
Cook

Zeittafel

Da es sich bei diesem Buch um eine freie literarische Aufarbeitung von Matthew Hensons Leben handelt, finden nicht alle Fakten in dieser Erzählung Platz. Diese Zeittafel dient deshalb noch einmal der exakten Wiedergabe aller beschriebenen Ereignisse in chronologischer Reihenfolge.

---

6. 5. 1856
- Robert Edwin Peary wird in Cresson, Pennsylvania geboren.

1865
- Es kommt zum Ende des vier Jahre während Sezessionskrieges und zur Abschaffung der Sklaverei in den ehemals Konföderierten Staaten.

10. 6. 1865
- Frederick Albert Cook wird in Hortonville, New York geboren.

8. 8. 1866
- Matthew Alexander Henson wird im ländlichen Charles County, Maryland in ärmlichen Verhältnissen geboren. Seine Eltern sterben kurze Zeit später und er wächst bei seiner Tante Janey in Washington, D.C. auf.

15. 8. 1875
- Captain Robert Abram Bartlett wird in Brigus, Neufundland geboren.

1877
- Robert Peary verlässt das Bowdoin College in Maine mit einem Ingenieursabschluss.

1879
- Mit nur zwölf Jahren macht sich Matthew Henson auf nach Baltimore, heuert dort unter Captain Childs auf der *Katie Hines* an und bereist unter anderem Asien, Afrika und Europa.

1883
- Auf einer Rückreise von Jamaika stirbt Captain Childs, der wie ein Vater für Henson war, nach schwerer Krankheit auf See. Matthew Henson kehrt daraufhin der Seefahrt den Rücken.

1884
- Robert Peary beginnt als Marine-ingenieur mit Vermessungsarbeiten in den Regenwäldern von Nicaragua für

Der Hafen von Baltimore, 1909:
Alles, was wir heute über Captain Childs und sein Schiff Katie Hines wissen, basiert auf Matthew Hensons Erinnerungen. Childs stammte aus einer reichen Familie von Tabakzüchtern in der Nähe von Maryland mit vielen Sklaven. Aus Hass gegenüber seinem rassistischen Vater und einem brutalen Sklavenaufseher namens Bloodsoe, genannt "Ole Bloody", verließ Childs mit zwanzig Jahren die Plantage und fuhr zur See.

Robert E. Peary, 1885:
Ein junger Peary als Ingenieur in Nicaragua.

Matthew Henson, 1910

einen geplanten transatlantischen Kanal.

1885
• Nach einigen Gelegenheitsjobs kehrt Matthew Henson nach Washington, D.C. zurück.

1886
• Robert Peary lässt sich von der Marine beurlauben und bricht mit dem Dänen Christian Maigaard zu einer Reise nach Grönland auf, wo er seine ersten Arktiserfahrungen sammelt.

1887
• Kurz vor Ende seiner Beurlaubung lernt Peary Matthew Henson im Hutgeschäft *B. J. Steinmetz & Sons* in Washington, D.C. kennen und stellt ihn auf Anraten des Ladeninhabers als Diener ein. Zurück in Nicaragua lernt Peary schnell Hensons Intelligenz und Geschick zu schätzen und überträgt ihm Aufgaben bei den Vermessungsarbeiten.

1888
• Peary und Henson kehren in die USA zurück, wo Peary Henson einen Job im *League Island Navy Yard* verschafft.

1890
• Peary heiratet die sieben Jahre jüngere Josephine Diebitsch Peary.

• Frederick Cook promoviert an der New York University als Doktor der Medizin.

16. 4. 1891
• Matthew Henson heiratet in Philadelphia die zweiundzwanzigjährige Verkäuferin Eva Helen Flint.

1891-1892
• Robert Peary reist auf seinem Schiff *Kite* erneut nach Grönland mit dem Ziel, die unbekannte Nordküste zu erforschen. Dafür heuert er Henson als unbezahlten Freiwilligen an. Ferner besteht das Team aus Pearys Frau Josephine, dem norwegischen Skifahrer Eivind Astrup, dem Jäger Langdon Gibson, dem Meteorologen und Geologen John Verhoeff und dem Arzt Dr. Frederick Cook.

Peary und Henson in Nicaragua, 1887:
Erste Pläne für einen Nicaragua-Kanal gab es bereits Mitte des 16. Jahrhunderts. Mit der Eröffnung des Panamakanals 1914 kam das weit aufwändigere Projekt jedoch zum Erliegen.

Frederick Cook, ca. 1892:
Von 1897 bis 1899 bereiste Cook zusammen mit dem späteren Südpolbezwinger Roald Amundsen mit der Belgica-Expedition die Antarktis. Amundsen, der viel von Cook lernte, sprach sich lange für seinen Freund als Entdecker des Nordpols aus, bis ihn seine Berater baten, davon abzulassen, um nicht seine eigene Reputation zu gefährden.

• Henson lernt schnell die Sprache der Inuit und gewinnt ihr Vertrauen, da sie ihn für einen Verwandten halten. Sie nennen ihn *Mahri Pahluk* – den gütigen Matthew. Mühelos adaptiert Henson ihren Lebens- und Überlebensstil und bringt ihn Peary und den anderen Teammitgliedern bei.

• Das sogenannte *Redcliffe House,* in dem das Expeditionsteam wohnt, wird fast vollständig von Matthew Henson gebaut.

• Am Ende ist die Expedition von Erfolg gekrönt, jedoch geht dabei John Verhoeff in der Bowdoin Bay verschollen.

1893

• Nach einer wahren Ochsentour an Vorträgen und dem Einschmeicheln bei einflussreichen Persönlichkeiten bricht Peary an Bord der *Falcon* zum dritten Mal nach Grönland auf. Während Matthew Henson, Josephine Peary und Eivind Astrup wieder mit von der Partie sind, verzichtet man auf Frederick Cook, der sich wegen Veröffentlichungen über die letzte gemeinsame Expedition mit Peary überworfen hat.

12. 9. 1893

• Josephine Peary bringt im Eis ihre Tochter Marie Ahnighito Peary zur Welt und veröffentlicht das Buch „My Arctic Journal".

• Die Inuit bitten Henson, einen verwaisten Jungen zu adoptieren.

1894

• Da die erneute Expedition aufgrund von Verletzungen und schlechtem Wetter ein herber Rückschlag zu werden droht, schickt Peary seine Frau und einen großen Teil der Crew zurück nach Amerika. Nur Henson und ein Journalist namens Hugh Lee bleiben mit ihm zurück.

Matthew Henson, 1906

• Mangelnde Vorräte zwingen die Männer zur Jagd auf Walrösser.

1895

• Die drei Männer unternehmen zusammen mit sechs Inuit einen Vorstoß zum Pol, aber Stürme und Nahrungsmangel zwingen das Team, den Versuch abzubrechen und die Schlittenhunde zu schlachten.

• Bei der Jagd auf Moschusochsen rettet Henson Peary das Leben, als dieser von einem der Tiere angegriffen wird.

• Das völlig ausgehungerte Team wird von ein paar Inuit gerettet.

• Als die *Kite* die drei Männer wieder abholt, besteht Peary darauf, die Küste Grönlands abzufahren, um zwei den Inuit heilige Meteoriten zu bergen, die eine halbe bzw. drei Tonnen wiegen.

1896

• Der Abtransport eines weiteren Meteoriten dauert fast ein Jahr, da der Stein etwa 35 Tonnen wiegt. Josephine Peary verkauft die Meteoriten für 40.000 Dollar an das *American Museum of Natural History*, wo Henson eine Anstellung als Tierpräparator erhält.

1897

• Robert Peary vermacht dem *American Museum of Natural History* zu anthropologischen Forschungen sechs lebende Inuit, darunter Qisuk und seinen zehnjährigen Sohn Minik. Bis auf das Kind sterben alle innerhalb kurzer Zeit. Als Qisuk an Tuberkulose stirbt, täuscht man Minik ein Begräbnis vor. Der kleine Inuit wird von einem leitenden Mitarbeiter des Museums in dessen Familie aufgenommen. Das Skelett seines Vaters Qisuk wird präpariert und fortan im Museum ausgestellt.

• Henson lässt sich von seiner Frau Eva scheiden.

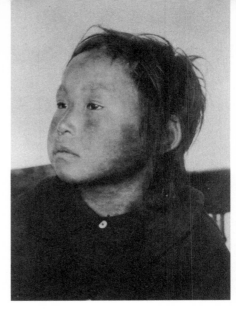

Minik, ca. 1897:
Mit sechzehn Jahren entdeckte er, dass das Skelett seines Vaters Qisuk im Museum ausgestellt wurde. Er kehrte 1909 nach Grönland zurück, wurde dort jedoch nicht mehr heimisch. 1916 ging Minik zurück nach New York und starb zwei Jahre später als Waldarbeiter in North Stratford, New Hampshire an der Spanischen Grippe.

American Museum of Natural History:
Das 1869 gegründete Museum beinhaltet heute etwa 32 Millionen Ausstellungsstücke und zählt zu den bedeutensten Museen weltweit. Die von Peary gestohlenen Meteoriten können dort noch heute besichtigt werden.

Robert Peary an Deck der Roosevelt, 1909

• Der *Peary Arctic Club* wird gegründet. Seine Mitglieder unterstützen Robert Peary mit einem Jahresbeitrag von je 1.000 Dollar.

1898

• Pearys Buch „Northward over the Great Ice" wird veröffentlicht.

• Nur mit Henson und dem Arzt T.S. Dedrick, Jr. bricht Peary erneut auf. Wieder erschwert schlechtes Wetter die Mission und Peary verliert acht Zehen.

1900

• Pearys langjährige Inuit-Geliebte Aleqasina bringt ein Kind zur Welt.

1901

• Frederick Cook wird vom *Peary Artic Club* nach Grönland geschickt, um Peary zu finden, der irrtümlich als verschollen gilt.

• Josephine Peary veröffentlicht das Buch „The Snowbaby" über die Geburt ihrer Tochter Marie.

1902

• Nach vier Jahren und vielen erfolglosen Anläufen, den Nordpol zu bezwingen, kehren Robert Peary, Matthew Henson und T.S. Dedrick, Jr. zurück in die USA.

• Henson beginnt als Schaffner zu arbeiten und lernt den Rassismus in den Südstaaten kennen. So schießt unter anderem ein Passagier mit einem Gewehr auf ihn.

1905

• Matthew Henson lernt bei einem Essen zu seinen Ehren die junge Lucy Ross kennen.

• An Bord der *Roosevelt,* unter dem Kommando von Captain Robert Bartlett, brechen Peary und Henson wieder einmal zum Pol auf. Allein mit dem Schiff nähern sie sich dem Pol schon auf ca. 800 km.

1906

• Während Aleqasina Peary ein

Die Roosevelt:
Das zu Ehren von Pearys Gönner US-Präsident Theodore Roosevelt benannte Schiff war speziell für die Fahrt in polaren Gewässern entwickelt worden. Es war gerade einmal 56 Meter lang und konnte sich durch das Packeis schneiden. Nachdem Peary die Roosevelt nicht mehr benötigte, wurde sie kommerziell genutzt und lief 1942 in der Nähe des Panamakanals auf Grund.

Captain Robert Bartlett, 1909:
1914 rettet Bartlett ein auf der Wrangelinsel gestrandetes Expeditionsteam durch einen über 1100 km langen Fußmarsch über die zugefrorene Tschuktschensee und Sibirien. Von 1925-45 machte er viele bedeutende Reisen in die Arktis, die er im 2. Weltkrieg im Auftrag der USA beobachtete.

weiteres Kind schenkt, bringt wenige Tage später eine andere Inuit Henson einen Sohn zur Welt.

21. 4. 1906
• Zusammen mit Henson wagt Peary einen Vormarsch zum Nordpol. Der Versuch scheitert, aber die beiden Männer kommen dem Pol so nah wie noch kein Mensch zuvor.
Hierfür erhält Peary von der *National Geographic Society* in Washington, D.C. die angesehene Hubbard-Medaille.

27. 9. 1906
• Frederick Cook verkündet, zusammen mit dem Bergführer Edward „Ed" Barrill den Gipfel des Mount McKinley – den höchsten Berg Alaskas – erklommen zu haben.

3. 7. 1907
• Frederick Cook bricht heimlich zu einem angeblichen Jagdausflug in die Arktis auf.

September 1907
• Matthew Henson und Lucy Ross heiraten in New York.

19. 2. 1908
• Zusammen mit zehn Inuit, elf Schlitten und einhundertundfünf Hunden bricht Cook zum Pol auf und gilt bald als verschollen.

21. 4. 1908
• An diesem Tag erreicht Frederick Cook nach eigenen Aussagen zusammen mit zwei Inuit den Nordpol.

8. 7. 1908
• An Bord der *Roosevelt* verlassen Robert Peary, Matthew Henson und Captain Robert Bartlett New York. Mit dabei sind George Borup, Ross Marvin, Dr. John D. Goodsell und Donald McMillan, welche sich in die Expedition eingekauft haben und das Ganze mehr als ein sportliches Ereignis betrachteten.

• In Grönland beschlagnahmt Peary von Cook dort zurückgelegte Vorräte und Jagdtrophäen, darunter zweihundert Blaufuchsfelle, die Stoßzähne von Narwalen und das Elfenbein von Walrössern.

Cooks gefälschtes Beweisfoto vom Gipfel des Mount McKinley, 1906:
Bereits 1903 erkundet Cook eine Aufstiegsroute auf den Mount McKinley.

Aleqasina, ca. 1900:
Peary mochte es, seine Geliebte nackt zu fotografieren.

1909

• Im Februar verlassen Peary und sein Team Cape Columbia und begeben sich auf einen ca. 665 km langen Marsch zum Pol. Peary verwendet dabei ein neues Verfahren, welches er selbst das *Peary System* nennt. Er schickt auf dem Weg zum Pol nach und nach Teammitglieder zurück. So nutzt er erst ihre Kräfte und spart später ihr Transportgewicht. Der Weg wird durch aufbrechendes Eis, das riesige Flüsse entstehen lässt, oft um Tage unterbrochen. Man muss warten, bis die Eismassen wieder zusammenfrieren.

26. 3. 1909

• Das Team bricht Pearys Rekord aus dem Jahr 1906.

• Nachdem er bereits Dr. Goodsell, McMillan und Borup zusammen mit Inuit zurückgeschickt hat, befiehlt Peary auch Marvin umzukehren. Dieser stürzt auf seinem Rückweg in einen Spalt und stirbt.

1. 4. 1909

• Peary trifft die bis heute umstrittene Entscheidung, den anerkannten Navigator Captain Robert Bartlett etwa 240 km vor dem Nordpol zurückzuschicken. Bartlett protestiert, aber Peary gibt Henson den Vorzug. Enttäuscht dringt Bartlett auf eigene Faust noch etwa 8-9 km nördlich bis zum 88. Breitengrad vor, bevor auch er umkehrt.

5. 4. 1909

• Peary schätzt aufgrund eigener Messungen den Abstand zum Nordpol auf nur noch 65 km.

6. 4. 1909

• In zwei Teams mit je zwei Inuit beginnen Peary und Henson den Marsch zum Nordpol. Hensons Team kommt so gut voran, dass es bald fast eine Stunde Vorsprung gegenüber Pearys hat.
Nur wenige Kilometer vor dem Ziel

bricht Henson auf dünnem Eis ein und stürzt ins kalte Meerwasser, doch der Inuit Ootah kann ihn retten. Dieser trocknet Hensons Kleidung und sie reisen weiter. Nach etwa vier Stunden schätzt Henson, dass sie angekommen sind. Peary, der etwa eine Dreiviertelstunde später eintrifft, bestätigt mit seiner Messung, dass sie endlich das Ziel erreicht haben.

Zusammen mit den vier Inuit bauen sie ein Iglu und legen sich schlafen. Später hisst Peary auf dem Iglu die Flagge der USA und macht einige wenige diffuse Fotos, anhand derer sich bis heute Pearys Messungen nicht bestätigen lassen. Der stark geschwächte Peary bekommt laut Henson eine Art depressiven Anfall und wird auf der Rückreise zu einer schweren Last, da er völlig entkräftet ist. Somit ist Henson gezwungen, fast völlig eigenständig den Rückweg für das Team freizumachen.

11. 4. 1909

• Erst jetzt vermerkt Robert Peary die Entdeckung des Nordpols auf einem losen Zettel und nicht in seinem Tagebuch.

„Endlich – der Nordpol. Drei Jahrzehnte der Mühen. Mein Traum und meine Begierde seit dreiundzwanzig Jahren. Endlich gehört er mir."

18. 4. 1909

• Nach einer fast einjährigen Rückreise voller Irrwege durch das Eis gelangt Frederick Cook mit seinen Begleitern auf Grönland zur Eskimo-Siedlung Annoatok, wo er auf den Millionär Harry Payne Whitney trifft, der sich auf der Jagd befindet. Cook übergibt Whitney seine Tagebücher und Instrumente, damit er sie nach Amerika zurückbringen kann und macht sich drei Tage später auf den Weg, um einen Walfänger nach Kopenhagen zu erreichen.

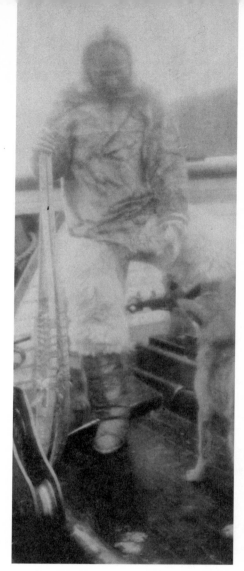

Matthew Henson mit einem Schlittenhund: An Bord der Roosevelt bei der Ankunft in Nova Scotia, Kanada, 1906.

Pearys Beweisfoto vom 6. April 1909: Von links nach rechts – Ooqueah mit der Flagge der Navy League; Ootah mit der Flagge von Pearys Studentenverbindung Delta Kappa Epsilon; Matthew Henson mit einer Flagge der USA, welche Josephine Peary 1898 genäht hatte; Egingwah mit der Friedensflagge der Daughters of the American Revolution und Seegloo mit der Flagge des Malteserordens.

Acht Tage später trifft Robert Peary mit seinem Team auf Whitney und ordnet an, dass Cooks Aufzeichnungen und Instrumente an Land zurückbleiben sollen. Außerdem beauftragt Peary Henson, die zwei Inuit zu befragen, die Cook begleitet haben sollen. Laut Henson geben diese an, mit Cook nur einen kleinen Marsch ins Polareis unternommen zu haben.

26. 8. 1909
• Die *Roosevelt* macht sich auf den Weg nach Labrador. Während Peary in Kanada das Schiff verlässt und auf einen Zug umsteigt, fährt Henson mit dem Schiff weiter zurück nach New York.

1. 9. 1909
• Frederick Cook gibt per Telegramm seine Entdeckung des Nordpols vom 21. April 1908 bekannt.

4. 9. 1909
• Frederick Cook landet in Kopenhagen, wo er vom tausenden Schaulustigen im Hafen empfangen wird.

6. 9. 1909
• Robert Peary gibt per Telegramm jetzt erst seine Entdeckung des Nordpols vom 6. April 1909 bekannt. Als Cook von Pearys Entdeckung des Nordpols erfährt teilt er mit:
>*„Ich hoffe, dass Peary den Pol erreicht hat, der Triumph ist groß genug für uns beide. Seine Beobachtungen und seine Berichte werden meine bestätigen."*

16. 9. 1909
• Matthew Henson landet in New York.

5. 10. 1909
• Die *New York Times* veröffentlicht eine eidesstattliche Versicherung des Bergführers Edward "Ed" Barrill, dass er und Frederick Cook nie den Gipfel des Mount McKinley bestiegen haben. Herausgeber der Zeitung ist Thomas Hubbard, der Vorsitzende

Harry Payne Whitney, 1920:
Der wohlhabende Freund Cooks war der Sohn des Marineministers William Whitney und ein anerkannter Pferdezüchter. Seine Frau, die Bildhauerin Gertrude Vanderbilt Whitney, gründete 1931 in New York das berühmte Whitney Museum of American Art.

Frederick Cook in Kopenhagen, 1909:
Bei seiner triumphalen Ankunft in Kopenhagen wurde Cook vom dänischen Kronprinz Christian Carl Frederick Albert Alexander Vilhelm persönlich empfangen.

des *Peary Arctic Club*. Erst viele Jahrzehnte später entdecken Forscher einen Scheck, den Barrill zwei Wochen vor seiner Aussage von Pearys Anwalt erhalten hat.

November 1909
• Die *National Geographic Society* erklärt Robert Peary zum alleinigen Entdecker des Nordpol. Ebenso ehrt sie Captain Bartlett, im Gegensatz zu Matthew Henson, mit der Hubbard-Medaille, obwohl dieser den Nordpol nie erreicht hat.

• Den Stoßzahn eines von Cook erlegten Narwals, welchen Peary 1908 in Etah an sich genommen hat, schenkt Peary nun seinem Gönner US-Präsident Theodore Roosevelt.

1910
• Die Universität von Kopenhagen erklärt Frederick Cooks Aussagen nach Prüfung seiner Aufzeichnungen für gefälscht und ihm wird die Entdeckung des Nordpols wieder aberkannt.

• Pearys Buch „The North Pole" wird veröffentlicht.

• Matthew Henson beginnt auf einem Parkplatz in Brooklyn, New York zu arbeiten. Jedoch überzeugt ihn der Theaterproduzent und Boxpromoter William Aloysius Brady, auf Vortragsreisen zu gehen. Diese werden durch Hensons schlechten Gesundheitszustand und Robert Pearys Anwälte erschwert und schließlich abgebrochen.

• Der dänische Polarforscher Peter Freuchen hört von den Inuit Sagen und Gesänge über ein mystisches Wesen namens *Mahri Pahluk*. Schnell erkennt er, dass es sich hierbei um Matthew Henson handelt, welchen er erst viele Jahre später auch persönlich in den USA trifft.

Le Petit Journal, 1909:
Die Schlammschlacht zwischen den beiden Kontrahenten beschäftigte die Presse weltweit. Obwohl Cook zunächst als Sieger galt, konnte Peary durch einflussreiche Freunde die Stimmung der Massen zu seinen Gunsten kippen.

William Aloysius Brady, ca. 1910:
Der ursprünglich aus armen Verhältnissen stammende Brady war einer der bedeutendsten Theaterproduzenten und Boxpromoter seiner Zeit. Er produzierte über 260 Theaterstücke, darunter "Onkel Toms Hütte", dessen Hauptfigur auf dem Priester Josiah Henson basierte – Matthew Hensons Urgroßonkel.

1911	• Der Amerikanische Kongress verleiht Robert Peary die Medal of Honor für seine Verdienste und ernennt ihn zum Konteradmiral.

• Durch die Überzeugungsarbeit einiger farbiger Politiker verschafft US-Präsident William Howard Taft Henson einen Job als Laufbursche bei der New Yorker Zollverwaltung.

• Cooks Buch „My Attainment of the Pole" erscheint.

1912 • Hensons Reisebericht „A Negro Explorer at the North Pole" wird zusammen mit einem Vorwort von Robert Peary veröffentlicht. Das Vorwort verwundert, da Peary nach der Rückkehr in die USA jeglichen Kontakt zu Henson abbrach und auch nicht auf dessen Briefe und Bitten nach Geld reagierte.

1919 • Frederick Cooks Fälschung der Erstbesteigung des Mount McKinley kann eindeutig bewiesen werden.

19. 2. 1920 • Robert E. Peary fällt aufgrund perniziöser Anämie (Blutarmut) ins Koma und stirbt am folgenden Tag in Washington, D.C. Er wird mit großen militärischen Ehren auf dem Arlington Nationalfriedhof nahe Washington, D.C. beigesetzt. Bis heute werden Pearys Aussagen über seine Nordpolentdeckung angezweifelt. Mit Sicherheit lässt sich nur sagen, dass er und Henson sich dem Pol vermutlich in einem Radius von 111 km genähert haben. Besonders zweifelhaft sind bis heute Pearys Messungen, so behauptet er in seinen Aufzeichnungen etwa, teilweise Tagesmärsche von 90 km durch das Eis geschafft zu haben. Eine Aussage, die selbst Henson anzweifelte.

Robert Peary, ca. 1910

1922	• Frederick Cook steigt in das texanische Ölgeschäft ein, wird aber ein Jahr später von einem Richter und Freund Pearys wegen Unterschlagung zu zwölf Jahren Haft verurteilt, aus der er erst acht Jahre später nach einer Begnadigung entlassen wird.

1937
• Nach fast dreißig Jahren als Laufbursche bei der New Yorker Zollverwaltung geht Matthew Henson im Alter von siebzig Jahren in Rente. Seine monatliche Pension beträgt gerade einmal 85 Dollar.

5. 8. 1940
• Frederick Cook stirbt in New Rochelle, New York. Erst kurz zuvor wurden ihm von US-Präsident Franklin D. Roosevelt die bürgerlichen Ehrenrechte zurückgegeben. Cook behauptete zeitlebens, den Nordpol erreicht zu haben, allerdings gilt es heute als gesichert, dass er sich nie seinem Ziel genähert hat.

1944
• Der Amerikanische Kongress verleiht Matthew Henson ein Duplikat der Medal of Honor, welche er über dreißig Jahre zuvor bereits Robert Peary verliehen hatte.

28. 4. 1946
• Captain Robert Bartlett stirbt in New York an einer Lungenentzündung.

1947
• Zusammen mit Bradley Robinson veröffentlicht Matthew Henson seine sehr romanhafte Autobiografie „Dark Companion".
Im gleichen Jahr erscheint die erste Ausgabe des Comicmagazins „Negro Heroes", welche den vermutlich ersten Comic über Matthew Henson enthält.

6. 4. 1954
• Matthew Henson und seine Frau Lucy werden von US-Präsident Dwight D. Eisenhower ins Weiße Haus eingeladen.

Matthew Henson, 1947:
Der 81jährige Matthew Henson liest einem jungen Fan aus der ersten Ausgabe des Comicmagazins „Negro Heroes" seine Lebensgeschichte vor.

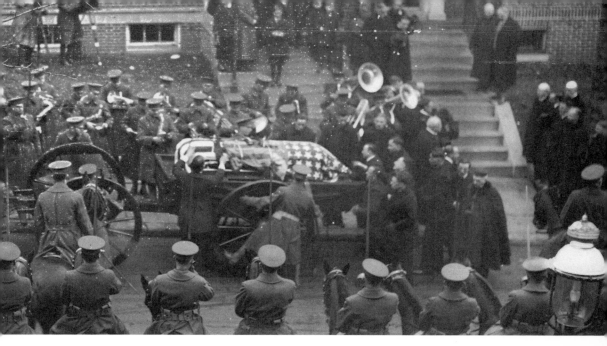

9. 3. 1955

• Matthew Henson stirbt in armen Verhältnissen in New York und wird auf dem Woodlawn Cemetery in der Bronx begraben.

19. 12. 1955

• Josephine Peary stirbt im Alter von zweiundneunzig Jahren, kurz nachdem sie die Medal of Achievement von der *National Geographic Society* erhalten hat.

1968

• Lucy Henson stirbt in New York und wird neben ihrem Mann auf dem Woodlawn Cemetery bestattet.

1988

• Matthew und Lucy Henson werdem neben Robert Peary auf dem Arlington Nationalfriedhof bei Washington, D.C. erneut beigesetzt.

1993

• Erst jetzt werden die Gebeine der in New York verstorbenen Inuit in ihre Heimat überführt und bestattet.

2000

• Die bedeutende Hubbard-Medaille wird Matthew Henson von der *National Geographic Society* postum verliehen.

Robert Pearys Trauerzug, 1920

Quellen:

• Robert E. Peary:
„The North Pole", 1910

• Matthew Henson :
„A Negro Explorer at the North Pole", 1912

• The New York Times:
„Looking Back Across The Ice", 17. April 1932

• Matthew Henson & Bradley Robinson:
„Dark Companion", 1947

• Der Spiegel:
„Wo Norden Süden ist", 24. Februar 1954

• Burton/Cavendish/Stonehouse:
„Atlas der Großen Entdecker", 1998

• Dolores Johnson:
„Onward", 2006

Fotos: US Library of Congress

Simon Schwartz im avant-verlag

drüben!

In seinem Debüt „drüben!" erzählt Simon Schwartz von der schwierigen Entscheidung seiner Eltern, Anfang der 1980er Jahre die DDR für immer zu verlassen.

Damit opponieren beide nicht nur gegen die allgegenwärtige Diktatur des Arbeiter- und Bauernstaates, sondern zwangsläufig auch gegen Mitglieder ihrer eigenen Familien und ihre Herkunft.

Dieser Konflikt prägt auch die Kindheit ihres einzigen Sohnes.

„Schwartz' subjektive Herangehensweise ist eine Bereicherung"
Steffen Vogel, Der Freitag

„Humorvoll, ohne Zynismus oder falsche Anklage"
Andreas Fanizadeh, TAZ

„Einfühlsam"
Frank Magdans, Die ZEIT

drüben!
ISBN: 978-3-939080-37-4
Paperback, 120 Seiten
14,95 Euro

Vita Obscura

In *Vita Obscura* widmet sich Simon Schwartz dreiunddreißig unbekannten, exzentrischen, aber doch stets wahren Biografien: Dem Leser begegnen u.a. der Landstreicher und einzige Kaiser der USA, Joshua Norton, die diversen Doppelgänger des Sohnes Iwan des Schrecklichen, das blinde Musikgenie Moondog sowie das schreckliche Monster Pulgasari. Und wer hat das Gehirn von Albert Einstein entwendet?

Passend zum jeweiligen Lebenslauf erfindet sich diese Comicserie immer wieder neu – sei es als Collage, Kohlezeichnung oder als Relief.

Mit einem Vorwort von Andreas Platthaus.

„Simon Schwartz erinnert an die Kleinen und Gescheiterten. Jeder seiner Comics ist ein Lichtblick von unten."
Michael Pilz, Die Welt

„In Vita Obscura öffnet sich eine ganze knallbunte Wunderkiste. Schlicht märchenhaft."
Michael Brake, Die ZEIT

Vita Obscura
ISBN: 978-3-939080-94-7
Hardcover, 72 Seiten
19,95 Euro